LEVEL2

2

333

영어

도서 구성

333 영어는 3개 레벨, 90일의 커리큘럼으로 구성되어 있습니다.
밝고 통통 튀는 조정현 선생님의 강의와 함께 학습을 진행하시면 됩니다.

Level 1

단어를 외우는 것만으로 자연스럽게 말하기는 어렵습니다. 외운 단어들이 어떤 상황에서 어떤 뉘앙스로 사용되는지를 정확히 알아야 비로소 말이 술술 나오게 됩니다. Level 1에서는 내가 아는 단어로 쉽게 말할 수 있는 문장들로 구성하여, 실생활에서 바로 사용할 수 있는 영어 회화 능력을 키울 수 있습니다.

Level 2

다 아는 단어인데 뜻이 전혀 다른 관용적 표현들이 있습니다. 이런 표현들만 잘 사용해도, 수준 높은 영어 회화가 가능합니다. Level 2는 다양한 관용적 표현을 활용해 쉽게 영어 수준을 높일 수 있는 문장들로 구성되어 있습니다.

Level 3

Level 3에서 소개하는 문장 30개만 잘 사용해도 영어 회화는 문제없습니다. 문장을 통째로 외우기는 쉽지 않지만, 외워야 할 때는 외워야 하죠. 효율적으로 외우면 부담도 훨씬 덜할 텐데요. Level 3는 사용 빈도가 높은 가성비 좋은 문장들을 선정하여, 영어 회화를 충분히 구사할 수 있도록 구성되어 있습니다.

목차

학습 방법

하루 3번, 각각의 다른 3가지 단계로 학습할 수 있도록 구성되어 있습니다.

☀ 아침

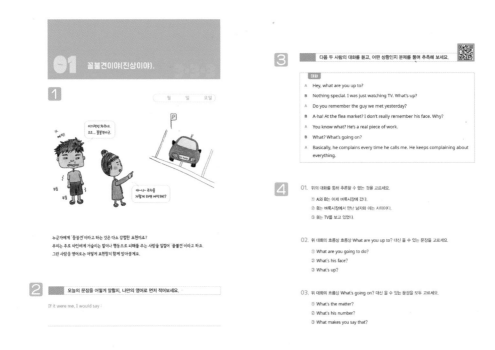

① 오늘의 상황을 그림으로 이해하고, 오늘의 표현을 우리말로 먼저 확인합니다.

② 나라면 이 상황에서 어떻게 영어로 말할 수 있을지, 내가 아는 영어로 나만의 문장을 적어 봅니다.

③ 오늘의 대화를 통해 오늘 배울 표현이 어떻게 쓰였는지 대화 속 영어 문장을 통해 확인합니다.
   QR코드를 통해 원어민의 음성을 듣고, 발음과 억양도 꼭 확인하세요.

④ 대화 속 상황을 잘 이해하였는지, 문제를 풀어보면서 확인합니다.

☀️ 점심　　　　　　　　🌙 저녁

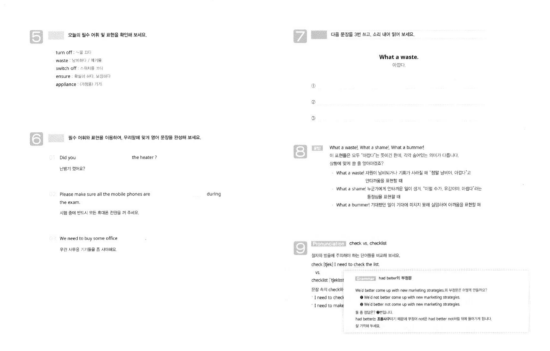

5 오늘의 필수 어휘 및 표현을 확인해 보세요.

turn off : ~을 끄다
waste : 낭비하다 / 폐기물
switch off : 스위치를 끄다
ensure : 확실히 하다, 보장하다
appliance : (가정용) 기기

6 필수 어휘와 표현을 이용하여, 우리말에 맞게 영어 문장을 완성해 보세요.

01　Did you _____ the heater ?
난방기 껐어요?

02　Please make sure all the mobile phones are _____ during the exam.
시험 중에 반드시 모든 휴대폰 전원을 꺼 주세요.

03　We need to buy some office _____.
우린 사무용 기기들을 좀 사야해요.

7 다음 문장을 3번 쓰고, 소리 내어 읽어 보세요.

What a waste.
아깝다.

①

②

③

8 [Tip] What a waste!, What a shame!, What a bummer!
이 표현들은 모두 "아깝다"는 뜻이긴 한데, 각각 숨어있는 의미가 다릅니다.
상황에 맞게 쓸 줄 알아야겠죠?
- What a waste! 자원이 낭비되거나 기회가 사라질 때 "정말 낭비야, 아깝다"고 안타까움을 표현할 때
- What a shame! 누군가에게 안타까운 일이 생겨, "이럴 수가, 유감이야, 아쉽다"라는 동정심을 표현할 때
- What a bummer! 기대했던 일이 기대에 미치지 못해 실망하여 아쉬움을 표현할 때

9 [Pronunciation] check vs. checklist
철자와 발음에 주의해야 하는 단어들을 비교해 보세요.
check [tʃek] I need to check the list.
vs.
checklist [ˈtʃeklɪst]
문장 속의 check와
· I need to check
· I need to make

[Grammar] had better의 부정문
We'd better come up with new marketing strategies.의 부정문은 어떻게 만들까요?
❶ We'd not better come up with new marketing strategies.
❷ We'd better not come up with new marketing strategies.
둘 중 정답은? ❷번입니다.
had better는 **조동사구**이기 때문에 부정은 not을 had better not처럼 뒤에 붙여야가 됩니다.
잘 기억해 두세요.

5⃣ 대화에서 등장한 필수 어휘와 표현을 확인해 보세요. 문장에서 쓰인 표현을 우리말로 확인해봅니다.

6⃣ 필수 어휘와 표현을 잘 이해하였는지, 문제를 통해 정확한 사용법을 익힙니다. 수, 시제, 인칭 등의 변화에 주의하면서 문제를 풀어봅니다.

7⃣ 오늘의 문장은 꼭 소리내서 읽고, 3번 써보세요. 눈으로, 손으로, 입으로 익히는 시간이 됩니다.

8⃣ 알아두면 좋은 꿀팁을 정리하였습니다. 아~ 이런 표현도 있구나! 하고 확인해두면 좋을 것 같아요.

9⃣ 차시를 마무리하며, 영어 발음에 도움이 되는 Useful Expressions 혹은 문법을 간단하고 쉽게 이해할 수 있도록 Grammar 등 다양한 코너를 준비하였습니다. 유용한 정보를 확인하며 학습을 마무리해 보세요.

학습 캘린더 학습을 마친 후, 학습 결과에 맞게 색칠해 보세요. 복습이 필요한 곳은 잊지
말고 복습을 진행해 주세요.

10 Days
Study
Calender

년　월　일

· 아침 학습

· 점심 학습

· 저녁 학습

영어 문장 _____

우리말 뜻 _____

년　월　일

· 아침 학습

· 점심 학습

· 저녁 학습

영어 문장 _____

우리말 뜻 _____

년　월　일

· 아침 학습

· 점심 학습

· 저녁 학습

영어 문장 _____

우리말 뜻 _____

년　월　일

· 아침 학습

· 점심 학습

· 저녁 학습

영어 문장 _____

우리말 뜻 _____

년　월　일

· 아침 학습

· 점심 학습

· 저녁 학습

영어 문장 _____

우리말 뜻 _____

년 월 일

· 아침 학습 😊 😐 😣
· 점심 학습 😊 😐 😣
· 저녁 학습 😊 😐 😣

영어 문장 _____

우리말 뜻 _____

년 월 일

· 아침 학습 😊 😐 😣
· 점심 학습 😊 😐 😣
· 저녁 학습 😊 😐 😣

영어 문장 _____

우리말 뜻 _____

년 월 일

· 아침 학습 😊 😐 😣
· 점심 학습 😊 😐 😣
· 저녁 학습 😊 😐 😣

영어 문장 _____

우리말 뜻 _____

년 월 일

· 아침 학습 😊 😐 😣
· 점심 학습 😊 😐 😣
· 저녁 학습 😊 😐 😣

영어 문장 _____

우리말 뜻 _____

년 월 일

· 아침 학습 😊 😐 😣
· 점심 학습 😊 😐 😣
· 저녁 학습 😊 😐 😣

영어 문장 _____

우리말 뜻 _____

 웃는 얼굴 : 확실히 알아요.

 보통 얼굴 : 어느 정도 이해했어요.

 찡그린 얼굴 : 복습이 필요해요.

때로는 당혹스럽고 신경이 많이 쓰이는 일들이 생깁니다.

그런 상황에 처한 가족이나 지인에게 조언을 해주면 좋을 텐데, 과연 어떤 말이 좋을까요?

"너무 신경 쓰지 마, 그것 때문에 기죽지 마, 의기소침해질 필요 없어"

이런 말들을 생각해 낼 수 있을텐데요. 영어 표현을 알아볼게요.

오늘의 문장을 어떻게 말할지, 나만의 영어로 먼저 적어보세요.

If it were me, I would say :

대화

A Hey, you seem really stressed out lately. Is everything okay?

B I've just been overwhelmed with work. I don't know how to handle it all.

A I totally relate to that. It can happen to anyone.

B I know, but it feels like it's just been one thing after another.

A I understand. I think you should take it step by step.
   And don't let it get to you.

B Thanks for the advice.

01. B가 스트레스를 받는 이유는 무엇인가요?

① 일

② 운전

③ 가족

02. I totally relate to that.을 가장 적절히 해석한 문장을 찾아보세요.

① 저에게도 사촌이 있어요.

② 저도 충분히 공감해요.

③ 그것과 연관이 있죠.

03. 대화 내용 중에, "엎친데 덮친 격이다, 산 넘어 산이다"라는 뜻의 문장을 찾아보세요.

① I've just been overwhelmed with work.

② It can happen to anyone.

③ It's just been one thing after another.

· lately : 최근에
· relate : 관련시키다
· happen : 발생되다, 일어나다
· another : 또 다른 하나
· step by step : 한 걸음 한 걸음

필수 어휘와 표현을 이용하여, 우리말에 맞게 영어 문장을 완성해 보세요.

01. You seem really stressed out _____.

요즘 들어 매우 스트레스 받은 것 같더라.

02. I can _____ to that.

나도 공감해.

03. You should take it _____.

차근차근 해나가면 돼.

Don't let it get to you.
너무 신경 쓰지 마. 기죽지 마. 의기소침해지지마.

① _____

② _____

③ _____

꿀팁! "너무 신경 쓰지 마"에 해당하는 대체 표현들도 더 알려 드릴게요.

· Don't worry too much.
· Don't worry too much about it.
· Keep your chin up!

Useful Expression lately vs. recently

lately와 recently의 차이를 알려드릴게요.

· lately 주로 반복적인 상황이나 행동을 나타낼 경우

예 Hey, you seem really stressed out **lately**. 야, 너 요즘 스트레스 많이 받는 것 같아.

· recently 주로 최근 일어난 단일한 일일 경우

예 I haven't used it **recently**. 나 최근에 그걸 사용하지 않았어.

12 앞 뒤가 달라.

아니~ 복도 지나면서 우연히 들었는데, Anne이 부장님 뒷담화를 엄청 하고 있더라고.

어머 정말? 부장님 앞에선 세상 천사 같던데... 의외다, Anne...

앞에선 불만 없는 척하던 사람이 뒤에선 불평불만을 늘어놓는 상황에서
우리말로는 "앞 뒤가 다르다" 혹은 "호박씨 깐다"고 표현할 수 있죠.
위선적으로 뒤에서 누군가를 뒷담화를 하는 대화를 통해 위의 표현들을 점검해 볼게요.

오늘의 문장을 어떻게 말할지, 나만의 영어로 먼저 적어보세요.

If it were me, I would say :

대화

A   I guess you have something to tell me. Spill the tea.

B   Well, I overheard Stacey talking about Harry behind his back.

A   Seriously? I thought they were close friends.

B   That's what I thought, too.

A   I think she is two-faced.

B   You're right. Hmm, I don't like people who are two-faced like that.

A   Me, neither.

01.   A와 B는 누구에 대해 이야기를 하고 있나요?

① Harry

② Stacey

③ 부모님

02.   Spill the tea.을 가장 적절히 해석한 문장을 찾아보세요.

① 차 한잔 마시자.

② 차를 쏟자.

③ 털어놔 봐.

03.   대화 마지막에 A가 말한 Me, neither.의 정확한 의미를 찾아보세요.

① 나도 좋아해.

② 나도 안 좋아해.

③ 나는 모르겠어.

- spill : 흘리다, 쏟다
- overhear : 우연히 듣다
- seriously : 진지하게, 심각하게, 진짜로
- two-faced : 두 얼굴의, 위선적인
- neither : ~도 마찬가지이다

필수 어휘와 표현을 이용하여, 우리말에 맞게 영어 문장을 완성해 보세요.

01. I guess you have _____ to tell _____ .

너 나한테 말하고 싶은 뭔가 있는 것 같아.

02. I _____ Stacey _____ about him _____ his back.

난 Stacey가 그에 대해서 뒷담화하는 걸 우연히 들었어.

03. I thought they were _____ friends.

난 그들이 친한[가까운] 친구인 줄 알았어.

She is two-faced.

앞 뒤가 달라. 호박씨 깐다.

① _____

② _____

③ _____

꿀팁! "위선적인, 앞뒤가 다른"에 해당하는 표현으로 two-faced외에 다른 표현도 알아볼게요.

double-faced, hypocritical이 또 다른 예가 될 수 있는데요,

예문으로 확인해 보세요.

- She's **two-faced**.
  = She's **double-faced**.
  = She's **hypocritical**.

The origins of the expressions Spill the tea.

감추고 있는 걸 털어놓으라는 말로, Spill the tea.가 쓰였는데, 이는 미국 남부지역의 여성들이 차를 마시면서 누군가의 비밀이나 소문에 대해 털어놓았던 것에서 유래된 표현입니다.

또 다른 대표적인 표현으로 Spill the beans.이 있어요.

이 표현은 고대 그리스에서 항아리에 검은콩, 하얀콩을 넣어 투표를 했는데, 실수로 쏟아져 결과가 밝혀졌다는 것에서 유래된 표현이라고 합니다.

추운 겨울이 지나고 봄이 오면 우리 몸도 봄철에 적응하느라 그런지 나른함이 더 생기지 않나요?
그런 현상은 매우 자연스러운 현상이라 해당하는 용어가 딱 있죠.
"춘곤증"에 해당하는 영어 표현은 과연 무엇일지 알아볼게요.

오늘의 문장을 어떻게 말할지, 나만의 영어로 먼저 적어보세요.

If it were me, I would say :

대화

A How's it going?

B Well, I've been a bit tired these days.

A Have you been getting enough sleep?

B Yeah, I've been trying to, but I guess it's because it's spring.

A It makes sense. I hope it's just a temporary thing.

B So do I. I want to shake off this spring fatigue.

A Fingers crossed.

01. B의 상태는 어떤가요?

① busy

② disappointed

③ tired

02. So do I.라고 말한 의도로 가장 적절한 것은 무엇인가요?

① 나도 이해해.

② 나도 일시적인 거였으면 좋겠어.

③ 나도 지금 너무 졸려.

03. 대화 마지막에 A가 말한 Fingers crossed.의 정확한 의미를 찾아보세요.

① 손가락이 아파.

② 손가락이 펴지질 않아.

③ 행운을 빌어.

17

- enough : 충분한
- make sense : 이해가 되다
- temporary : 일시적인, 임시의
- shake off : (티끌을) 털다, 쫓아버리다
- fatigue : 피로

필수 어휘와 표현을 이용하여, 우리말에 맞게 영어 문장을 완성해 보세요.

01. I hope it's just a _____ thing.

난 그게 그저 일시적인 일이길 바라.

02. I want to shake off this spring _____.

난 이 춘곤증을 떨어내고 싶어.

03. Fingers _____.

행운을 빌어, 잘되길 바라.

Spring fatigue
춘곤증

① _____

② _____

③ _____

꿀팁! spring fatigue를 spring fever라고도 합니다.

그뿐 아니라 식곤증도 있죠? 식곤증은 영어로 어떻게 말하면 좋을까요?

- I'm in food coma.
- I'm getting food fatigue.
- I feel drowsy after meals.

spring fatigue처럼, food fatigue도 좋고, food coma라는 표현도 가능합니다.

Useful expressions 봄과 관련된 다양한 표현들

봄을 나타내는 다양한 영어 표현들을 알려 드릴게요.

springtime 봄철   Easter 부활절   budding 싹 트는   Maytime 오월

budtime 꽃봉오리가 맺히는 시기   발아기   seedtime 파종기(씨를 뿌리는 시기)

봄철을 나타내는 표현들이 꽤 많죠?

특히 Easter, budding 같은 단어들은 어감이 참 예쁘네요.

해마다 이상 기후로 걱정이 더해지는데요,

겨울엔 한파로, 여름엔 폭염으로 점점 힘들어지는 게 사실입니다.

최근에 여름만 되면 저절로 나오는 말 중에 "더워 죽겠다"는 표현이 대표적이지 않나 싶어요.

영어로는 과연 어떻게 말할 수 있을지 알아볼까요?

오늘의 문장을 어떻게 말할지, 나만의 영어로 먼저 적어보세요.

If it were me, I would say :

대화

A The heat is killing me.

B Yeah, it's scorching hot today.

A How are you holding up in this weather?

B Honestly, I feel like I'm melting out here.

A I think we should go get some cold drinks.

B Likewise.

A Let's cool off. Oh, I got sunburned.

01. 오늘 날씨는 어떤가요?

① 건조함

② 불볕더위

③ 따뜻함

02. Likewise.라고 말한 의도로 가장 적절한 것은 무엇인가요?

① 현명하다고 칭찬하기 위해서

② 동의를 표현하기 위해서

③ 차가운 음료를 좋아한다고 말하기 위해서

03. 대화가 끝난 후 A와 B는 무엇을 할까요?

① 약국에 간다.

② 집에 간다.

③ 시원한 음료를 마시러 간다.

- heat : 열기, 열
- scorching : 맹렬한
- hold up : 견디다
- melt : 녹다, 녹이다
- sunburned : 햇볕에 심하게 탄

필수 어휘와 표현을 이용하여, 우리말에 맞게 영어 문장을 완성해 보세요.

01. It's ＿＿＿＿＿＿ ＿＿＿＿＿＿ hot today.

오늘 진짜 불볕더위야.

02. I feel like I'm ＿＿＿＿＿＿ ＿＿＿＿＿＿ here.

마치 내가 여기서 녹고 있는 기분이 들어.

03. I got ＿＿＿＿＿＿ ＿＿＿＿＿＿.

햇볕에 탔어.

The heat is killing me.

더워 죽겠어.

① _____

② _____

③ _____

꿀팁! _____ is killing me. 패턴을 활용한 다양한 문장을 만들어 볼까요?

· 두통이 심할 땐 : My headache is killing me.

· 한파로 힘들 땐 : The cold snap[wave] is killing me .

· 목감기로 힘들 땐 : My throat is killing me.

Useful expressions 더위와 관련된 표현들

더위에 관련된 표현들을 추가로 더 알려드릴게요.

* heatwave 폭염, 무더위

예 A **heatwave** warning was issued. 폭염 경보가 발령되었습니다.

* melting hot 녹아내리는 듯한 더위

예 It's **melting hot** today. 오늘 진짜 덥네요.

* heat exhaustion 열사병

예 It can cause **heat exhaustion**. 열사병에 걸리게 할 수 있습니다.

15 입이 가벼워.

월   일   요일

입이 무거운 사람이 있는 반면, 입이 가벼운 사람도 있죠?
소문을 좋아하고, 소문내기를 좋아하는 사람을 가리켜 '입이 가볍다.'고 표현하죠.
영어로는 어떻게 말할 수 있을까요?

오늘의 문장을 어떻게 말할지, 나만의 영어로 먼저 적어보세요.

If it were me, I would say :

대화

A   Did you hear about the birthday party for Jane next week?

B   No, I hadn't heard anything about it. How did you find out?

A   Well, I overheard her mom talking about it at the bakery shop yesterday.

B   You've got loose lips. You should keep it secret.

A   I know, I know. I just couldn't help myself.

B   I understand that, but it wouldn't be a surprise party if she found out beforehand.

A   Don't worry too much, I won't say anything to anyone.

01. 생일파티는 언제 열리나요?

   ① tonight

   ② next month

   ③ next week

02. 위의 대화를 통해 추론할 수 있는 것을 고르세요.

   ① Jane의 생일은 지났다.

   ② Jane의 엄마는 빵집에 갔었다.

   ③ A와 B는 Jane 생일 파티를 준비 중이다.

03. I just couldn't help myself.는 무슨 뜻일까요?

   ① 난 그저 어쩔 수가 없었어.

   ② 난 나 스스로를 도울 수가 없었어.

   ③ 난 나 스스로를 돕지 않을 수가 없었어.

· find out : 알아내다, 알게 되다
· overhear : 우연히 듣다
· loose : 헐거운, 헐렁한
· a surprise party : 깜짝 파티
· beforehand : 미리, 전에

01. I hadn't heard _____ about it.

난 그것에 대해 아무것도 못 들었어요.

02. I _____ her mom _____ about it.

난 그녀의 엄마가 그것에 대해 이야기하는 것을 우연히 들었어요.

03. It wouldn't be a _____ party if she found out _____.

그녀가 미리 알게 되면 깜짝 파티가 되지 않을 거예요.

You've got loose lips.

입이 가벼워.

① _____

② _____

③ _____

꿀팁! You've got loose lips. 입이 가볍다. 외에 다른 표현들을 더 알아볼게요.

- You've got a big mouth.
- You've got a blabbermouth.

여기서 blabber은 "횡설수설하다"는 의미로, 온 동네에 소문을 퍼뜨리고 다니는 사람을 위와 같이 묘사할 수 있습니다.

Pronunciation [s] vs. [z]

[s] vs. [z]의 차이를 구분하세요.

▶ loo**se** [luːs] vs. lo**se** [luːz]
　헐거운, 느슨한　잃어버리다, 잃다

흔히들 헐렁한 옷을 '루즈핏'이라고 묘사하죠? 영어로 '루즈핏'은 발음에 약간의 차이가 있어요. 정확하게는 '루스핏'처럼 발음이 됩니다. 다음 예문의 loose 발음에 주의하며 소리 내어 읽어보세요.

* This is a **loose** (fit) shirt. 이건 헐렁한 (핏의) 셔츠예요.

발음 한 끝 차이가 매우 크죠?

할 말이 없네.

3·3·3

월 　 일 　 요일

너무 미안한 상황이거나, 자신이 무엇인가를 해결할 수 없는 상황에 직면할 때,
"할 말이 없네…", "어쩔 수 없지…"와 같은 말을 하게 되는데요.
영어로는 어떻게 말하면 좋을지 알아볼까요?

오늘의 문장을 어떻게 말할지, 나만의 영어로 먼저 적어보세요.

If it were me, I would say :

대화

A You know... I can't believe you've forgot our anniversary again.

B I'm really sorry, honey. What can I say?

A You make me frustrated. I don't think you care about me.

B No, that's not true at all. I love you to the moon and back.

A I don't buy it. This is the third time in a row.

B I'm so sorry but I have a terrible memory.

A I understand, but just try to remember next time, OK?

01. 둘의 관계로 적절한 것은?

① best friends

② a couple

③ coworkers

02. 위의 대화를 통해 추론할 수 있는 것을 고르세요.

① B는 기억력이 별로 안 좋다.

② B는 기념일을 처음 잊어버렸다.

③ 둘은 외식하러 나갈 것이다.

03. I love you to the moon and back.의 의미를 찾아보세요.

① 난 우주여행을 하고 싶어.

② 내가 여행하고 돌아온 지 얼마 안 되었잖아요.

③ 당신을 하늘만큼 땅만큼 사랑해.

- anniversary : 기념일
- frustrated : 좌절한, 짜증난
- care about : ~에 마음을 쓰다, 관심을 가지다
- in a row : 연이어, 잇달아
- memory : 기억(력)

필수 어휘와 표현을 이용하여, 우리말에 맞게 영어 문장을 완성해 보세요.

01. You make me _____ .

당신은 날 짜증나게[좌절하게] 만드네요.

02. Do you _____ _____ me?

당신은 나에게 관심이 있나요?

03. This is the fifth time _____ _____ .

연이어 5번이에요.

What can I say?

할 말이 없네. 어쩔 수 없지.

① _____

② _____

③ _____

꿀팁! What can I say?를 대체할 수 있는 표현들을 추가적으로 알아볼게요.

· There's nothing to say.

· I have nothing to say.

반면, It is what it is.는 "내 손을 떠났다, 어쩔 수 없지"라는 의미로 사용됩니다.

Comparison of words frustrated vs. embarrassed

I feel **frustrated**. vs. I feel **embarrassed**.

이 두 문장을 확실히 구분할 수 있나요?

* frustrated 좌절감, 답답함, 짜증 혹은 당혹감을 느낄 때

* embarrassed 부끄러움과 민망함, 수치심을 느낄 때

예문을 통해 이해하면 수월하겠죠?

예 I fell down the stairs. I was **embarrassed**. 계단에서 넘어져서 너무 창피했어.

I forgot my wife's birthday. I'm **frustrated**. 아내 생일을 잊어버려서, 답답했어.

17 눈에 넣어도 안 아프다.

월   일   요일

너무나도 소중한 사람에게 또는 사랑하는 사람에게 "눈에 넣어도 안 아프다"고 표현할 때가 있죠.
연인 사이뿐 아니라, 자녀에게도 얼마나 많이 사랑하는지를 이렇게 비유적으로 묘사를 하기도 합니다.
영어로는 어떻게 말할 수 있을까요?

오늘의 문장을 어떻게 말할지, 나만의 영어로 먼저 적어보세요.

If it were me, I would say :

32

대화

A   How lucky I am to have you in my life.

B   Oh, that's so sweet.

A   You know what? You're the apple of my eye.

B   Really? I feel the same way.

A   Now I feel like I'm the luckiest one in the world. You mean everything to me.

B   You're so romantic. You're making me tear up.

A   I just wanted to tell you how much you mean to me.

01. 위 대화의 분위기를 잘 나타낸 것을 찾으세요.

    ① distress

    ② desperate

    ③ happy

02. B의 I feel the same way.와 바꿔 쓸 수 있는 말을 고르세요.

    ① You have a point.

    ② I have the same feelings.

    ③ Put yourself in my shoes.

03. You're the apple of my eye.와 통하지 않는 말을 고르세요.

    ① You mean a lot to me.

    ② You're so precious to me.

    ③ You're just a nobody.

· lucky : 운이 좋은, 행운의
· way : 방식, 방법
· romantic : 낭만적인, 로맨틱한
· tear up : 눈물이 나다
· mean : 의미하다, 의도하다

필수 어휘와 표현을 이용하여, 우리말에 맞게 영어 문장을 완성해 보세요.

01. How _____ I am!

얼마나 운이 좋은가!

02. I _____ I'm the luckiest man.

나는 내가 가장 운이 좋은 사람이라고 느껴요.

03. You're making me _____.

당신은 날 눈물 나게 하네요.

You're the apple of my eye.

눈에 넣어도 안 아프다.

① _____

② _____

③ _____

꿀팁! The apple of my eye는 일상생활 속에서 자주 쓰이는 표현입니다.
눈동자가 마치 사과같이 생겼다고 한 것에서 유래되었다고 해요. 그만큼 중요하다는 것이죠.
스티비원더의 노래 〈You're the Sunshine of my life〉 속에도 You are the apple of my
eye.라는 가사가 있어요. 사랑하는 존재를 이처럼 아름답게 묘사해 보면 더 좋겠죠?

· My daughter is **the apple of my eye**.
· My puppy is **the apple of my eye**.

Comparison of words   mean의 다양한 의미

mean의 의미를 잘 구분해서 해석해 보세요.

* 동사 의미하다

예 You **mean** everything to me. 당신은 나의 전부를 의미해.

* 형용사 못된, 야비한, 심술궂은

예 You're so **mean** and nasty! 당신은 너무 못됐고 야비해!

* 동사 의도하다

예 I didn't **mean** to hurt your feelings. 너의 감정을 상하게 할 의도는 아니었어.

18 다행이다.

간절히 바라던 게 드디어 결실로 이루어졌을 때

그동안 마음 졸이던 게 풀어지면서 "다행이다."라는 말을 내뱉을 때가 있죠.

시험 결과도 그렇고, 일에 관련된 것도 그렇고 말이에요.

"다행이다."를 영어로 어떻게 표현하는지 알아볼게요.

오늘의 문장을 어떻게 말할지, 나만의 영어로 먼저 적어보세요.

If it were me, I would say :

대화

A What was the result of the interview?

B And I just got the call. They offered me the position!

A That's fantastic! Congratulations!

B Thank you so much. I've been so anxious waiting to hear back.

A Yeah, I can imagine. It must feel like a weight lifted off your shoulders.

B Right. I spent quite a lot of years working on it. What a relief!

A It's worth it, right?

01. A와 B는 지금 무엇에 대해 대화 나누고 있나요?

　① 결혼

　② 취업

　③ 승진

02. 다음 중 위의 대화를 통해 알 수 <u>없는</u> 사실을 하나 고르세요.

　① B had a job interview.

　② A interviewed B yesterday.

　③ B's trying to get a job for a long time.

03. It must feel like weight lifted off your shoulders.는 무슨 뜻일까요?

　① 어깨 운동을 좀 해야겠구나.

　② 단단히 준비를 해야겠구나.

　③ 부담을 내려놓는 느낌이겠다.

· result : 결과

· offer : 제공하다, 제안하다

· position : 자리

· anxious : 불안해하는, 염려하는

· worth : 〜할 가치 있는

필수 어휘와 표현을 이용하여, 우리말에 맞게 영어 문장을 완성해 보세요.

01. What was the _____ of the interview?

인터뷰 결과가 어땠나요?

02. They _____ me the position.

그들은 나에게 일자리를 제시했어요.

03. I was _____ .

난 불안했어요.

What a relief!
다행이다.

① _____

② _____

③ _____

꿀팁!   What a relief. 대신 That's a relief.라고도 많이 합니다.

What a relief! 느낌표로 끝난 것으로 보아, '감탄문' 구조이죠.

[What a 형 + 명 (+ 주 + 동) !]을 기억해 보세요.

대표적인 예로 외우는 것도 매우 좋아요.

Louis Armstrong의 〈What a Wonderful World〉라는 곡의 제목으로 기억해 보길 추천합니다.

Pronunciation   [l] vs. [r]

[l] vs. [r]의 차이를 구분하세요.

result [rɪ'zʌlt] vs. resort [rɪ'zɔːrt]

    결과, 결실   휴양지, 리조트

* It's the best **result** we've ever had. 우리가 얻은 결과 중 최고입니다.

  It's the best **resort** we've ever stayed. 우리가 묵었던 리조트 중에 최고입니다.

이처럼 발음차이로 전달하고자 하는 의미가 싹 바뀌게 됩니다.

월   일   요일

집중이 잘 안 되거나 자꾸만 실수를 반복할 때, 스스로에게 "정신차려!" 할 수도 있고,
중요한 일을 앞두고 상대방이 정신이 산만하거나 집중을 못 하는 것 같을 때 "정신차려!"라고
조언할 수도 있겠죠.
이 말을 영어로 어떻게 할 수 있을까요?

오늘의 문장을 어떻게 말할지, 나만의 영어로 먼저 적어보세요.

If it were me, I would say :

대화

A   I can't concentrate these days.

B   Why? What's up?

A   It's like everything's falling apart.

B   Hey, look at me and take a deep breath. Get a grip.

A   I know. But it's easier said than done.

B   That's true, but you can start small, slowly, piece by piece.

A   Thanks. I'm feeling better now.

---

01. A의 심리상태는 어떤가요?

① stable

② gloomy

③ anxious

02. 다음 중 위의 대화를 통해 알 수 <u>없는</u> 사실을 하나 고르세요.

① A는 B에게 서운한 일이 있었다.

② A는 B로 인해 기분이 나아졌다.

③ B는 A에게 적절하게 조언했다.

03. It's easier said than done.는 무슨 뜻일까요?

① 말이야 쉽지.

② 사돈 남 말 하네.

③ 뛰는 놈 위에 나는 놈 있다.

· fall apart : 무너져 내리다
· breath : 호흡, 숨
· grip : 움켜쥠, 통제
· easier : 더 쉬운
· piece : 조각

01. I can't _____ these days.

요즘 집중이 잘 안돼.

02. It's like everything's _____.

마치 모든 게 무너져 내리고 있는 것 같아.

03. I'm feeling _____ now.

지금 기분이 좀 더 나아졌어.

Get a grip!
정신차려!

① _____

② _____

③ _____

꿀팁! Get a grip!외에 "정신차려!"를 뜻하는 또 다른 표현들도 알려 드릴게요.

- Wake up!
- Get it all together.
- Pull yourself together.

자주 쓰이는 표현이니 다양하게 말해보세요.

Useful expressions 집중과 관련된 다양한 표현

집중이 잘 안될 때 사용하는 표현들이 또 어떤 것이 있을까요?

* I can't concentrate.
* I can't focus.
* I feel distracted.

* I find it hard to concentrate.
* I get distracted.

20 바가지 썼어.

주로 여행지에서 종종 바가지를 쓰는 경험을 하게 됩니다.

그리고 정확히는 몰라도 왠지 현지인보다 값을 더 낸 것 같은 느낌이 들 때가 있죠.

우리는 그럴 때, "바가지 썼어." 또는 "바가지 쓴 것 같아."라는 말을 하곤 하는데요.

이런 말들을 영어로는 어떻게 표현할까요?

오늘의 문장을 어떻게 말할지, 나만의 영어로 먼저 적어보세요.

If it were me, I would say :

대화

A   Hey, Mark, did you exchange your currency?

B   Yeah, I did, but I feel like I got ripped off.

A   Are you sure?

B   Well, I exchanged my dollars for rupees at the exchange booth near the airport.

A   Oh no, did they give you a terrible rate?

B   Yes, I lost almost a hundred bucks.

A   That's a rip off. Next time, let's try to use a bank for better rates.

01. A와 B가 갈 곳으로 가장 적절한 나라는 어디일까요?

   ① Germany

   ② India

   ③ Praha

02. 다음 중 위의 대화를 통해 알 수 없는 사실을 하나 고르세요.

   ① 환율은 어디를 가나 동일하다.

   ② B는 100달러 손해를 봤다.

   ③ A와 B는 다음에 은행에 가서 환전할 것이다.

03. "환전소"를 뜻하는 단어를 모두 고르세요.

   ① Exchange booth

   ② Currency exchange counter

   ③ Bank account

- exchange : 교환 / 교환하다
- currency : 통화
- rip off : 뜯어내다 / 바가지
- booth : 부스, 점포
- rate : 비율

필수 어휘와 표현을 이용하여, 우리말에 맞게 영어 문장을 완성해 보세요.

01. Did you _____ your _____?

환전했어요?

02. I feel like I got _____ _____.

바가지 쓴 것 같아요.

03. Did they give you a terrible _____?

그들이 당신에게 안 좋은 환율로 줬나요?

That's a rip off!
바가지 썼어!

①

②

③

꿀팁! That's a rip off.뿐 아니라 대화 중에 언급된 문장 중에 "바가지 썼어!"라는 문장이 또 있었어요. 바로!

· I feel like I got ripped off. 나 바가지 쓴 것 같아.

좀 더 간단히, I got ripped off.도 많이 씁니다.

Useful expressions 환율과 관련된 예문

* What's the exchange rate? 환율이 어떻게 되나요?
* What's the exchange rate for Korean won to the US dollar?
미국 달러에 대한 원화 환율은 얼마입니까?
* What's the rate for the US dollar to the Euros? 유로에 대한 미국 달러 환율은 얼마입니까?

The stock market has been so rough that
I slept like a baby yesterday.
I woke up every hour and cried.

주식 시장이 너무 안 좋아서
어제 아기처럼 잠을 잤어요.
매시간마다 깨서 울어댔죠.

정답 / 해설

11 신경 쓰지 마.

대화

A: 야, 너 요즘 스트레스 많이 받은 것 같아. 괜찮아?

B: 일 때문에 너무 압박감이 커. 다 어떻게 처리해야 할지 모르겠어.

A: 나도 완전 공감해. 누구나 그럴 수 있어.

B: 알아, 그런데 요즘 계속 이런 일이 반복되는 것 같아.

A: 이해해. 단계별로 천천히 해봐. 너무 신경 쓰지 마.

B: 조언 고마워.

01 I've been overwhelmed with work.라고 했으니 일이 주요인이다.

02 relate to는 "~에 공감하다"라고 해석되므로 ②이 정답이다.

03 일에 또 다른 일이 겹친다는 말인 It's just been one thing after another.을 골라야 한다.

정답 **p9** 01 ①   02 ②   03 ③

p10 01 lately   02 relate   03 step by step

12 앞 뒤가 달라.

대화

A: 너 뭔가 말하고 싶은 게 있는 것 같은데, 다 털어놔봐.

B: 음, 스테이시가 해리 뒷담화하는 걸 들었어.

A: 진짜? 그들이 가까운 친구인 줄 알았는데.

B: 나도 그렇게 생각했어.

A: 그녀는 이중인격이야.

B: 맞아. 난 그런 이중인격인 사람들 싫어.

A: 나도 그래.

01 Harry에 대해 뒷담화를 했던 Stacey에 대해 이야기하고 있다.

02 spill은 "쏟다"라는 뜻으로, spill the tea는 "비밀을 털어놓다"라는 의미이다.

03 B가 말한 I don't like people who are two-faced like that. 문장처럼 A도 마찬가지로 그런 사람들을 좋아하지 않는다는 말이다.

정답 **p13** 01 ②   02 ③   03 ②

p14 01 something | me   02 overheard | talking | behind   03 close

13 춘곤증

A: 잘 지내?

B: 요즘 좀 피곤해.

A: 충분히 자고 있어?

B: 응, 자려고 노력하는데, 봄이라서 그런가 봐.

A: 그럴 수 있어. 일시적인 현상이길 바라.

B: 나도 그래. 이 춘곤증을 떨쳐버리고 싶어.

A: 그러길 바라.

01 I've been a bit tired. 라고 했으니 정답은 ③이다.

02 앞 문장인, I hope it's just a temporary thing. 일시적인 것이길 바란다는 말에 So do I. 나도 역시 그러길 바란다는 말이므로 정답은 ②이다.

03 Fingers crossed.는 I'll cross my fingers.와 같은 의미로 "행운을 빌게."라는 뜻이다.

정답 p17 01 ③   02 ②   03 ③

p18 01 temporary   02 fatigue   03 crossed

14 더워 죽겠어.

A: 더워 죽겠어.

B: 그래, 오늘 엄청 덥다.

A: 이런 날씨에 어떻게 버티고 있어?

B: 솔직히, 여기서 녹아내릴 것 같아.

A: 우리 시원한 음료 마시러 가자.

B: 나도 그래.

A: 더위를 식히자. 아, 나 햇볕에 화상 입었어.

01 The heat is killing me. It's scorching hot.를 통해 매우 더운 날임을 알 수 있다.

02 likewise.는 "마찬가지야, 동감이야"라는 의미이므로 정답은 ②이다.

03 I think we should go get some cold drinks.라고 했고, Likewise.라고 동의했으니 시원한 음료를 마시러 갈 것이다.

정답 p21 01 ②   02 ②   03 ③

p22 01 scorching   02 melting out   03 sunburned

15 입이 가벼워.

> **대화**
>
> A: 다음 주에 제인 생일 파티 들었어?
>
> B: 아니, 아무 얘기도 못 들었는데. 어떻게 알았어?
>
> A: 어제 빵집에서 그녀의 엄마가 얘기하는 걸 우연히 들었어.
>
> B: 너 입이 가볍구나. 비밀을 지켜야지.
>
> A: 알아, 알아. 그냥 참을 수 없었어.
>
> B: 이해하지만, 그녀가 미리 알게 되면 깜짝 파티가 아니잖아.
>
> A: 너무 걱정하지 마. 아무한테도 말하지 않을게.

01 The birthday party for Jane next week.을 통해 다음주임을 알 수 있다.

02 I overheard her mom talking about it at the bakery shop yesterday.라고 했으므로 Jane의 엄마는 어제 빵집에 갔었다.

03 Can't help myself. 스스로 제어할 수 없다, 어쩔 수가 없었다는 말이다.

정답 p25   01 ③   02 ②   03 ①

p26   01 anything   02 overheard | talking   03 surprise | beforehand

16 할 말이 없네.

> **대화**
>
> A: 믿을 수가 없어. 또 우리 기념일을 잊어버렸어.
>
> B: 정말 미안해, 여보. 뭐라고 말해야 할지…
>
> A: 당신 때문에 화가 나. 당신은 나를 신경 쓰지 않는 것 같다고.
>
> B: 전혀 그렇지 않아. 당신을 무지 사랑해.
>
> A: 안 믿어. 이번이 연달아 세 번째야.
>
> B: 정말 미안해, 나 기억력이 형편없어.
>
> A: 이해는 해, 하지만 다음에는 꼭 기억해줘, 알았지?

01 our anniversary, I love you to the moon and back.라는 말을 통해 연인이나 부부 사이임을 알 수 있다.

02 B가 기념일을 3번째 잊어버렸고, I'm so sorry but I have a terrible memory.라고 했으므로 기억력이 안 좋다는 걸 알 수 있다.

03 To the moon and back. 하늘만큼 땅만큼이라는 표현이다.

정답 p29   01 ②   02 ①   03 ③

p30   01 frustrated   02 care about   03 in a row

17 눈에 넣어도 안 아프다.

대화

A: 당신이 내 인생에 있어서 정말 행운이야.

B: 아, 정말 달콤한 말이다.

A: 있지, 당신은 내 눈에 가장 소중한 사람이야.

B: 정말? 나도 똑같이 느껴.

A: 이제 내가 세상에서 가장 운이 좋은 사람 같아. 당신은 내 전부야.

B: 당신 정말 로맨틱하네. 나 눈물 나려고 해.

A: 난 그냥 당신이 얼마나 소중한지 말하고 싶었어.

01 lucky, luckiest, romantic과 같은 어휘를 힌트삼아 happy한 분위기임을 알 수 있다.

02 I feel the same way. 같은 방식으로 느낀다는 것이니 I have the same feelings.와 대체할 수 있다.

03 내 눈에 사과라는 것은 "눈에 넣어도 아프지 않다"는 뜻이다.

③ You're just a nobody. 넌 아무것도 아니야.

정답 p33 01 ③　　02 ②　　03 ③

　　　 p34 01 lucky　　　02 feel like　　　03 tear up

18 다행이다.

대화

A: 면접 결과 어떻게 됐어?

B: 방금 전화 받았어. 그들이 나에게 그 자리를 제안했어!

A: 정말 대단해! 축하해!

B: 정말 고마워. 기다리느라 너무 초조했는데.

A: 맞아, 정말 어깨에서 짐을 덜어낸 느낌이겠네.

B: 그래, 몇 년 동안 노력했거든. 다행이다.

A: 그럴만해.

01 They offered me the position. 취업 제안을 했다는 문장이 힌트가 된다.

02 What was the result of the interview?, I spent quite a lot of years working on it.을 토대로
　 ①, ③은 확인 가능하다.

03 어깨의 짐을 내려놓았겠다는 뜻의 문장이다.

정답 p37 01 ②　　02 ②　　03 ③

　　　 p38 01 result　　　02 offered　　　03 anxious

19 정신차려!

대화

A: 요즘 집중이 안 돼.

B: 왜? 무슨 일이야?

A: 모든 게 엉망이 되고 있는 것 같아.

B: 이리 와봐. 깊게 호흡하고. 진정해.

A: 알아. 하지만 말처럼 쉽지 않아.

B: 맞아, 하지만 작은 것부터 시작하고 천천히, 하나씩 해봐.

A: 고마워. 이제 좀 나아졌어.

01 It's like everything's falling apart. 다 무너지는 기분이며, 집중도 안 된다고 했으므로, 걱정, 근심이 많은 상태일 가능성이 크다.

02 B의 조언을 듣고, A가 I'm feeling better now.라고 했으니 적절한 조언으로 기분이 나아진 것이다.

03 It's easier said than done. 행하는 것보다 말하는 게 쉽다는 문장이다.

정답 (p41) 01 ③ 02 ① 03 ①

(p42) 01 concentrate 02 falling apart 03 better

20 바가지 썼어.

대화

A : 마크, 환전했어?

B : 응, 했어. 그런데 사기당한 기분이야.

A : 정말?

B : 공항 근처 환전소에서 달러를 루피로 바꿨어.

A : 아이고, 환율이 안 좋았어?

B : 응, 거의 100달러 손해 봤어.

A : 정말 사기당했네. 다음에는 은행을 이용해서 더 좋은 환율을 받자.

01 rupee(루피)라는 화폐단위를 통해 India임을 알 수 있다.

02 I lost almost a hundred bucks. 거의 100달러 잃었다(손해봤다).

Next time, let's try to use a bank for better rates. 다음번엔 더 나은 환율의 은행을 이용하자.

03 ③ 은행 계좌

정답 (p45) 01 ② 02 ① 03 ①, ②

(p46) 01 exchange | currency 02 ripped off 03 rate

MEMO

333 영어 LEVEL2_2

초판 1쇄 인쇄 2024년 11월 25일
초판 1쇄 발행 2024년 12월 9일

지은이   조정현
발행인   임충배
홍보/마케팅   양경자
편집   김인숙, 왕혜영
디자인   이경자, 김혜원
펴낸곳   도서출판 삼육오(PUB.365)
제작   (주)피앤엠123

출판신고 2014년 4월 3일
등록번호 제406-2014-000035호

경기도 파주시 산남로 183-25
TEL 031-946-3196 / FAX 050-4244-9979
홈페이지   www.pub365.co.kr

ISBN 979-11-92431-81-9(14740)
© 2024 조정현 & PUB.365